Einsterns Schwester
leicht gemacht

2

Themenheft 3
Texte planen und schreiben

Herausgegeben von
Roland Bauer, Jutta Maurach

Erarbeitet von
Katrin Baudendistel, Daniela Dreier-Kuzuhara,
Martina Schramm, Alexandra Schwaighofer

Cornelsen

Inhaltsverzeichnis

So kannst du mit den Heften arbeiten

Du machst alle
Seiten der Lernportion 1.

Zuerst im grünen Heft.

Dann im roten Heft.

Dann im gelben Heft.

Und dann im blauen Heft.

Danach machst du in
allen Heften die Lernportion 2.

Nun machst du in
allen Heften die Lernportion 3.

Genauso bearbeitest du
alle anderen Lernportionen.

Eine Namensliste schreiben

1 Lies die Namen der Kinder
und die Listen am Rand.

2 Schreibe eine der Listen aus 1 auf.

1 Eine Einkaufsliste schreiben

1 Lisa hat eingekauft.
Kreuze an, was zum Bild passt.

- ◯ zwei Stifte
- ◯ ein Radiergummi
- ◯ Wasserfarben
- ◯ ein Lineal
- ◯ eine Schere
- ◯ vier Pinsel
- ◯ ein Füller
- ◯ zwei Hefte

STOPP

2 Schreibe eine Liste,
die zu Lisas Einkauf in 1 passt.

Einkaufsliste:

–

1 Wunschzettel schreiben

1 Schreibe auf, was sich Tim wünscht.

eine Torte	ein Auto	einen Fußball	ein Buch

Wunschzettel:

– eine Torte ✓

2

1 Einen Geburtstagskalender erstellen

① Januar	② Februar	③ März
1. Tim 16. Lea	15. Malte	3. Dennis 27. Laura
④ April	**⑤ Mai**	**⑥ Juni**
2. Florian 7. Anna 22. Franka		6. Lotte 9. Julia
⑦ Juli	**⑧ August**	**⑨ September**
15. Teo 28. Lorenz	3. Hanna 11. Chan	4. Emily 15. Jonas
⑩ Oktober	**⑪ November**	**⑫ Dezember**
2. Sergej	16. Lukas	18. Emil 22. Finn

1 Beantworte die Fragen.

a) In welchem Monat hat Jonas Geburtstag? September

b) In welchem Monat hat kein Kind Geburtstag? ____

c) In welchem Monat sind die meisten Geburtstage? ____

d) Welches Kind hat am 18. Dezember Geburtstag? ____

2

1 Ein Plakat gestalten

So gestalte ich ein Plakat:

1. **Ich überlege und plane,**
   was auf mein Plakat soll.

2. **Ich gestalte** mein Plakat.
   Das muss ich beachten:
   – Ich hebe die Überschrift deutlich hervor.
   – Ich ordne die Texte gut an.
   – Ich schreibe groß und deutlich.
   – Ich verwende auch Bilder.

3. **Ich lese** das Plakat noch einmal durch.
   Ich **verbessere** Fehler.
   Ich **ergänze,** was noch fehlt.

1 Ein Plakat mit Gesprächsregeln gestalten

1. Lies die Gesprächsregeln für ein Plakat.

Ich lasse den anderen ausreden.

Ich lache niemanden aus.

Ich melde mich.

Ich spreche laut und deutlich.

Ich schaue den anderen an.

Ich höre zu.

2. Schreibe die Gesprächsregeln passend zu den Bildern in das Plakat auf Seite 11.

3. Ergänze zum Schluss eine passende Überschrift. Beachte Lolas Tipps aus dem **roten Faden.**

Du kannst mit verschiedenen Farben schreiben.

- Ich hebe die Überschrift deutlich hervor.
- Ich schreibe groß und deutlich.

1

Ich

Ein Plakat soll auffordern, informieren, mitteilen und über-zeugen.

1 Schriftliche Mitteilungen vergleichen

1 Ordne richtig zu.

Erinnerungszettel | Namensliste | Plakat | Einkaufsliste | Wunschzettel

Plakat ✓

Gesprächsregeln

Ich melde mich.

Ich spreche laut und deutlich.

Ich höre zu.

Ich lasse den anderen ausreden.

Ich schaue den anderen an.

Ich lache niemanden aus.

____

Nicht vergessen:
Sporttasche einpacken!

____

Ich wünsche mir:
– Auto
– Schokolade

____

2 Bananen
1 Apfel
1 Salat
10 Eier

____

Gästeliste zum Geburtstag
Felix
Lisa
Emma
Leo
Emre
Nina

2 Überlege, welche Arten von Mitteilungen aus 1 für dich wichtig sind. Tausche dich mit einem Kind aus.

2 Wörter zu einem Thema finden

1 Unterstreiche alle Wörter, die zum Thema **Zoo** passen.

Flugzeug | Käfig | Affen | Seehunde | Giraffen | Tafel | Uhr

Futter | Eisbären | Tierpfleger | Wasserbecken | Papageien

2 Schreibe die **Zoo**-Wörter aus 1 auf.

STOPP

Käfig, ✓

3

2 Beschreibungen erstellen

1 Unterstreiche die Sätze, die zum Baum passen, grün.
Unterstreiche die Sätze, die zum Haus passen, rot.

Es ist eine Pflanze. | Es ist ein Ding. | Es hat Zweige und Blätter.

Es hat eine Tür und ein Dach. | Seine Wurzeln sind in der Erde.

Menschen wohnen darin.

2 Schreibe zu jedem Bild die passenden Sätze aus 1.

Es ist

2 Rätsel lesen und abschreiben

1. Lies die beiden Rätsel.
   Sie beschreiben ein Fahrzeug.

○ Es ist ein Fahrzeug.
Es ist rot.
Es ist groß.
Es hat Lichter.

○ Es ist ein Fahrzeug.
Es ist groß und rot.
Es hat ein Blaulicht.
Es hat eine Leiter.

2. Kreuze den Text an,
   der das Fahrzeug
   am besten beschreibt.

3. Zeichne das
   gesuchte Fahrzeug.

STOPP

4. Schreibe das Rätsel ab, welches
   das Fahrzeug am besten beschreibt.

Es ist

2 Ein Rätsel präsentieren

So präsentiere ich:

1. **Ich stehe auf** und beginne erst, wenn alle ruhig sind.
2. **Ich sage** am Anfang:
   Ich möchte euch mein Rätsel vorstellen.
3. **Ich stelle** meinen Text **vor**.
   Ich spreche dabei **langsam**, **laut** und **deutlich**.

1 Präsentiere ein Rätsel.

2 Eine genaue Beschreibung verfassen

1 Kreuze alle Sätze an, die zur Maus passen.

- [x] Es ist ein Tier.
- [ ] Es ist grau.
- [ ] Es hat zwei Stoßzähne.
- [ ] Es hat zwei Hörner.
- [ ] Es hat vier Beine.
- [ ] Es hat zwei Augen.
- [ ] Es hat einen Schwanz.
- [ ] Es hat einen Rüssel.
- [ ] Es hat Schnurrhaare.
- [ ] Es ist sehr klein.

2 Beschreibe die Maus mit den Sätzen aus 1.
Es sind sieben Sätze.

STOPP

Es ist

3 Einen Steckbrief kennenlernen

1 Lies den Steckbrief.

Steckbrief

Name: ...

Haare: rote Locken

Augenfarbe: braun

Kleidung: rote Hose, gelber Pulli

Besondere Kennzeichen: Haarreif

2 Kreuze das Kind an, zu dem der Steckbrief passt.

3 Ergänze den Steckbrief zu Lola.

STOPP

| rot und halblang | ~~Lola~~ | spitze Nase, schlau | grün |

| Kleid mit grünem Kragen, spitzer Hut |

Name: Lola ✓

Haare:

Augenfarbe:

Kleidung:

Besondere Kennzeichen:

3 Einen Steckbrief zu einer Person schreiben

So gestalte ich einen Steckbrief:

1. **Ich überlege**, wen ich beschreiben möchte.

2. **Ich sehe** genau hin.
   Aussehen, Besonderheiten …

3. **Ich schreibe** einen Steckbrief mit Stichpunkten:
   Name: …
   Haare: …
   Augenfarbe: …
   Kleidung: …
   Besondere Kennzeichen: …

4. **Ich lese** den Steckbrief noch einmal durch. **Ich verbessere**, wenn ich etwas falsch geschrieben oder vergessen habe.

1 Schreibe auf einem Blatt einen Steckbrief zu einem Kind aus deiner Klasse.

2

3 Einen Steckbrief zu einer Pflanze schreiben

1 Unterstreiche alle Wörter, die zu einer Sonnenblume passen.

weiß | bunt | Winter

ein bis zwei Meter | Sommer

außen gelb, innen braun

alt | wie eine Sonne

wie ein Herz | viereckig

2 Schreibe mit den unterstrichenen Wörtern aus 1 einen Steckbrief über die Sonnenblume.

STOPP

Steckbrief

Name: Sonnenblume

Größe:

Sie blüht im:

Farbe der Blüte:

Form der Blüte:

Form der Blätter:

3 Einen Steckbrief zu einem Tier schreiben

1 Lies den Text.

Weibchen

Männchen

Die Stockente

Das Männchen erkennt man in der Brutzeit an seinem grünen Kopf und Hals und dem weißen Ring um den Hals. Die Brust und der Rücken sind braun, der Bauch ist hell.
Die **Federn** des **Weibchens** sind **braun**. Die **Füße** sind **leuchtend orange**. Der **Schnabel** ist **gelb-braun**.

Stockenten werden etwa **50 Zentimeter lang** und wiegen etwa **ein Kilo**. Es sind die größten Enten, die bei uns leben.

2 Schreibe einen Steckbrief zum Weibchen.

Name:

Größe:

Gewicht:

Farbe der Federn:

Kennzeichen:

3 Steckbriefe und Beschreibungen vergleichen

1 Lest den Steckbrief und die Beschreibung.
Besprecht die Unterschiede der beiden Texte.

Steckbrief

Name:	Igel
Größe:	22 bis 30 cm
Gewicht:	etwa 1 kg
Aussehen:	braune Stacheln mit weißer Spitze (ungefähr 8 000)

Beschreibung

Ein Igel wird zwischen 22 und 30 Zentimeter lang. Er wiegt etwa 1 Kilogramm. An den braunen Stacheln mit weißen Spitzen ist er leicht zu erkennen. Er hat etwa 8 000 Stacheln.

2 Schreibe über den **Fuchs** einen Steckbrief oder eine Beschreibung.

7 Kilo

Körper 60 bis 90 Zentimeter

braun, Schnauze und Bauch weiß

buschiger Schwanz

3 Eine Suchanzeige schreiben

1 Lies die Suchanzeige genau.

Wer hat unsere Katze gesehen?

Mini ist weg!
Wir suchen seit Tagen unsere Katze.
Ihr Fell ist getigert und ihre Brust, ihr Bauch sowie ihre Pfoten sind weiß. Sie hat grüne Augen.

Hinweise bitte an Familie Pfeifer
(Telefonnummer: 0987 / 54321)

2 Schreibe eine ähnliche Suchanzeige für den Hund.

Wer hat

4 Briefe und Botschaften kennenlernen

1 Ordne richtig zu.

STOPP

Postkarte | Brief | Nachricht | E-Mail

___

Hallo Ole,
hier auf dem Bauernhof
ist es super. Gestern
Abend durfte ich mit
einem riesigen Traktor
fahren, das war cool.
Viele Grüße
aus dem Allgäu
Vincent

Ole Janssen
Ulmenstr. 97
20253 Hamburg

___

Hallo Mama,
mir war langweilig.
Bin bei der Oma.
Kuss,
Tina

___

Hallo

An: lola@einsterns-schwester.de
Betreff: Hallo

Hallo Lola,

meine Mama hat mir gezeigt,
wie man eine E-Mail schreibt.
Das macht Spaß!

Schreib mir doch bitte zurück!

Viele Grüße
Aylin

___

München, 17. 10. 2017

Liebe Paula,
wie gefällt es dir in der neuen Schule?
Hast du schon Freunde gefunden?
Das Foto ist von unserem
letzten Ausflug ins Freibad.
Bis bald!
Clara

2

4 Den Aufbau einer Postkarte kennenlernen

1 Lies die Postkarte. Achte auf den Aufbau.

Liebe Tina,
viele Grüße aus
Österreich. Wir
wandern jeden
Tag. Das Wetter
ist sehr schön.
Viele Grüße
Deine Alexandra

Tina Fuchs
Buchenweg 7
72072 Tübingen

Adresse des Empfängers

2 Eine Adresse ist in der richtigen Reihenfolge wie auf der Karte notiert.
Kreuze sie an.

○
Steinstraße 20
Toni Fischer
22765 Hamburg

○
99084 Erfurt
Taubenweg 5
Leni Behrens

○
Henri Stumpp
Schwabstr. 2
13409 Berlin

3 Schreibe deine Adresse auf.
Achte auf die Reihenfolge.

4 Eine Postkarte schreiben

So schreibe ich eine Postkarte:

1. **Ich überlege, wem** ich eine Postkarte schreibe.

2. **Ich plane, was** ich schreiben möchte.

3. **Ich schreibe** eine Postkarte und beachte dabei:

4. **Ich lese** die Postkarte noch einmal und **überprüfe** sie.

1 Schreibe eine Postkarte.

4 Den Aufbau eines Briefes kennenlernen

1 Lies den Briefumschlag und den Brief. Ordne richtig zu.

~~Anrede~~ | Gruß und Name | Ort und Datum

Briefmarke | Absender | Text | Empfänger

4 Einen Brief schreiben

So schreibe ich einen Brief:

1. **Ich überlege, wem** ich einen Brief schreibe.

2. **Ich plane, was** ich schreiben möchte.

3. **Ich schreibe** einen Brief und beachte dabei:

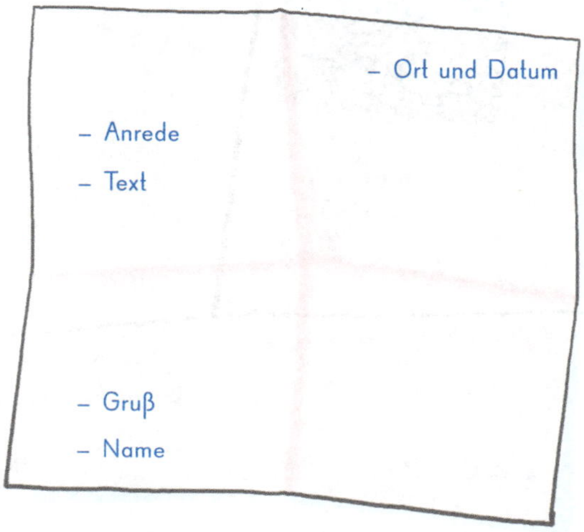

4. **Ich lese** den Brief noch einmal und **überprüfe** ihn.

5. **Ich schreibe** auf einen Umschlag den Empfänger und Absender.

1 Schreibe einen Brief an ein Kind.
Verwende ein leeres Blatt.
Gestalte den Brief.

4 Eine E-Mail kennenlernen

1 Lies die E-Mail.

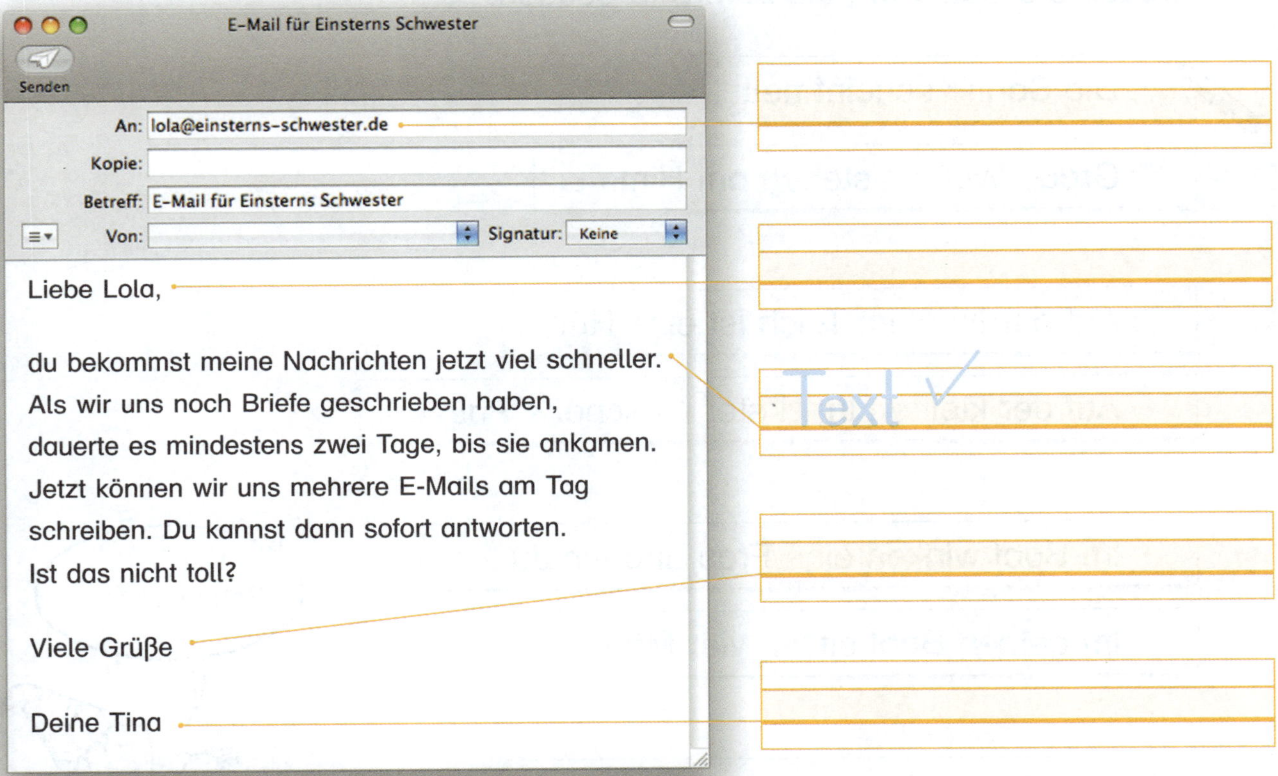

2 Schreibe die Wörter an die passende Stelle.

| Text | Gruß | Anrede | Name | E-Mail-Adresse |

5 Sätze zu einem Bild auswählen

1 Kreuze die Sätze an, die zum Bild passen.

- ◯ Die Sonne scheint hell.
- ◯ Graue Wolken stehen am Himmel.

- ◯ Auf der Insel im Teich ist eine Hütte.
- ◯ Auf der kleinen Insel stehen schöne Palmen.

- ◯ Im Boot winken eine Frau und ein Junge.
- ◯ Im gelben Boot sitzen vier Männer.

- ◯ Im Wasser schwimmen zwei Fische.
- ◯ Im See schwimmen zwei Enten.

- ◯ Zwei Jungen liegen auf Luftmatratzen.
- ◯ Zwei Jungen liegen auf Handtüchern.

5 Zu einem Bild schreiben

1 Schreibe zu dem Bild passende Sätze.
Die Satzanfänge und Wörter im Bild helfen dir.

Zwei Jungen sitzen auf einer Wippe.

Eine Wolke

Die Sonne

Ein Mann

Im Sandkasten

5 Sätze zu einer Bildfolge ordnen

1 Sieh dir die Bilder an. Lies die Texte.

Im Freibad

Schon fängt es an zu regnen.
Schnell steigen die beiden aus dem Wasser und rennen los.
Sie wollen sich in Sicherheit bringen.

Da sehen sie ein Häuschen.
Während des Gewitters stellen sie sich dort unter.

An einem schönen Tag spielen Lisa und Tim im Freibad mit ihrem bunten Ball.

Auf einmal wird es ganz dunkel.
Sie schauen nach oben und sehen graue Wolken am Himmel.

2 Verbinde jedes Bild mit dem passenden Text.

5 Zu einer Bildfolge schreiben

1 Schreibe eine Geschichte zu den Bildern.
Die Satzanfänge und Stichwörter helfen dir.

Der Kuchen

backen Kuchen ✶ nehmen Salz statt Zucker

füllen Teig in Form ✶ Ofen

decken den Tisch

probieren den Kuchen ✶ leider versalzen

Lisa und Papa backen

Sie nehmen

Den Teig füllen sie

Dann schieben sie

Gespannt

5 Eine Bildergeschichte weiterschreiben

1 Schreibe die Geschichte weiter.

Hatschi!

1

Tim möchte Lisa etwas schenken.
Er sieht auf einer Wiese Pusteblumen
und pflückt sie.

2

Tim trifft sich mit Lisa.
Er gibt ihr die Blumen.
Sie freut sich sehr über das Geschenk.

3

Dann muss Lisa niesen.

Leider

4

Zum Schluss

5 Zu einer Bildfolge eine Geschichte schreiben

So schreibe ich zu einer Bildergeschichte:

1. **Ich sehe** mir jedes einzelne Bild genau an.
2. **Ich überlege** mir zu den Bildern eine Geschichte.
3. **Ich schreibe** eine Geschichte auf und beachte dabei:
   - **Wer** kommt in der Geschichte vor?
   - **Wo** spielt die Geschichte?
   - **Was** passiert?
4. **Ich lese** meine Geschichte noch einmal und **überprüfe** sie.
5. **Ich finde** eine passende Überschrift.

5 Zu einer Bildfolge eine Geschichte schreiben

1. Sieh dir die Bilder genau an.
Lies die Stichwörter.

findet eine Nuss | Eichhörnchen

will Nuss knacken | beobachtet

holt Nussknacker | Eichhörnchen springt herunter

Nuss weg | erstaunt

2 Schreibe eine Geschichte zu den Bildern auf Seite 36.
Die Stichwörter helfen dir.

Unter einem Baum findet Lisa eine Nuss.
Oben auf dem Baum sitzt

3 Ergänze eine passende Überschrift.

6 Ein Wortgedicht schreiben

1 Lies das LOLA-Wortgedicht.

L USTIG
O RDENTLICH
L IEB
A LBERN

2 Ergänze die Wortgedichte zu **TIM** und **LEA**.
Finde zu jedem Buchstaben ein passendes Adjektiv.

T OLL
I
M

L
E
A

3

6 Einen Abzählvers abschreiben

1 Lies die Abzählverse.

Paul Pau li ne,
Ap fel si ne,
Ap fel ku chen,
du musst su chen.

Ein ro tes, al tes Schiff
fuhr auf ein gro ßes Riff.
Dort war ne klei ne Maus
und du bist lei der raus.

2 Schreibe einen Abzählvers aus 1 ohne Lücken ab.

STOPP

3

6 Reimwörter finden

1 Male die Reimwörter mit jeweils einer Farbe an.

Hose | Sturm | Wurm | Maus

Dose | Haus | Laus | Turm | Rose

2 Ergänze zu jedem Bild das Reimwort.

Dose

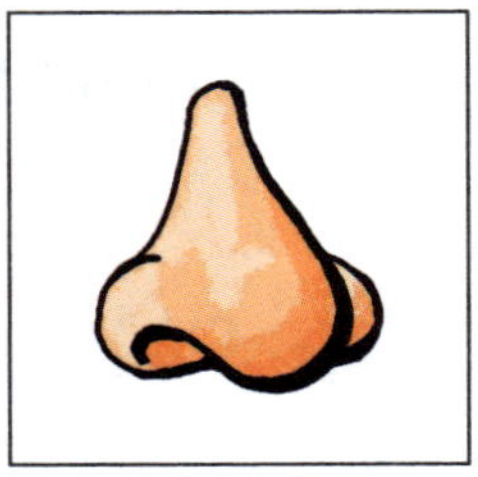

H

T

T

P

B

M

R

B

6 Reimwörter zuordnen

1 Lies das Gedicht. Ergänze die Reimwörter.

| will | wir | sing | ~~zu~~ | machen | lauf | vor |

Wir

Ich bin ich und du bist du.
Wenn ich rede, hörst du zu .
Wenn du sprichst, dann bin ich still,
weil ich dich verstehen _____ .
Wenn du fällst, helf ich dir auf,
und du fängst mich, wenn ich _____ .
Wenn du kickst, steh ich im Tor,
pfeif ich Angriff, schießt du _____ .
Spielst du pong, dann spiel ich ping,
und du trommelst, wenn ich _____ .
Allein kann keiner diese Sachen,
zusammen können wir viel _____ .
Ich mit dir und du mit mir,
das sind _____ .

Irmela Brender

6 Gedichtzeilen zuordnen

1 Ordne dem Gedicht die fehlenden Zeilen passend zu.
Die farbigen Wörter helfen dir.

Ein Krokodil

da seh ich es schon **hocken.**

und frisst mich **dann.**

Ich träum, es kommt ein Krokodil
mit einem großen Maul.
Am Tage liegt's auf einem Stein,
am Tage ist es faul.

Und dann am Abend wird es wach
und macht sich auf die **Socken.**
Es kriecht zu unserm Haus aufs Dach,

da seh

Doch wenn es erst ganz dunkel ist,
dann schleicht es sich **heran.**
Es will zu mir herein

6

ich hab nur was vergessen.

glaub ich, es ist ein Drachen.

und reißt sein Maul schon auf.

Es hinkt durchs Haus, das hör ich doch,
es steigt die Treppe rauf.
Dann kommt's herein durchs Schlüsselloch

Es hat 'ne Menge Zähne in
dem großen roten Rachen.
Und weil es auch noch Flügel hat,

Was willst du hier, schrei ich ganz laut,
ich glaub, du willst mich fressen.
Nein, sagt das Krokodil und schaut,

Hanna Johansen

6 Elfchen kennenlernen und schreiben

Dieses Gedicht mit **elf** Wörtern heißt **Elfchen**.
In jeder Zeile ist die **Anzahl der Wörter** vorgegeben.

1 Wort:	Fröhlich
2 Wörter:	Spitzer Hut
3 Wörter:	Trägt ein Buchstabenkleid
4 Wörter:	Sie hilft euch gern
1 Wort:	Lola

1 Schreibe das Elfchen richtig auf.
Achte auf die Anzahl der Wörter.

STOPP

~~Tafel~~ | Klassenzimmer | Manchmal ist es laut

Viele Tische, Stühle | Lehrer, Kinder

1 Tafel

2

3

4

1

6 Elfchen schreiben

1 Lies die Elfchen. Sie sind noch nicht ganz fertig.

2 Ergänze bei jedem Elfchen in 1 ein passendes Wort.

Bauer | Königin | Polizist | Lehrerin | Pirat

3 Schreibe eines der Elfchen ab.

4

7 Eine Geschichte erkennen

1 Welche Teile gehören zur Geschichte Regenwetter?
Male die passenden Schirme blau an.

Regenwetter

Es regnete. „Blöd! Jetzt kann ich nicht in den Garten“, dachte Lisa.

Der große Hund
rannte auf Laura zu.
Er wurde immer schneller.
Aber Laura sah ihm
fest in die Augen.
Da wurde er plötzlich
langsamer.

Sie hätte auch gerne mit
ihrem Bruder gespielt.
Aber der hatte keine Zeit.
So legte sie sich in ihrem
Zimmer auf ihr Bett.
Da fiel ihr der Karton unter
ihrem Bett ein.

Schnell holte Lisa ihn hervor
und öffnete den Deckel.
In dem Karton waren
alte Bilder und Briefe.
„Hallo, ich bin wieder da“,
rief Papa aus dem Flur.
„Wollen wir etwas spielen?“

Plötzlich tauchte im Nebel
das Haus auf.
Laura hatte den Weg
zurück gefunden.
Froh rannte sie hinein
und umarmte ihren Vater
und ihre Mutter.

Da wachte Laura auf.
Sie hatte alles
nur geträumt.

Aber Lisa war so in
die Bilder vertieft, dass
sie Papa gar nicht hörte.
Obwohl es regnete,
wurde es ein schöner
Nachmittag.

7 Vier Abschnitte einer Geschichte ordnen

1 Lies die Teile der Geschichte.

Im Schwimmbad

☐ Zuerst haben wir im Kinderbecken
mit dem Wasserball gespielt.
Dann sind wir vom Sprungbrett
in das tiefe Wasser gesprungen.

☐ Gestern Nachmittag war ich
mit Anna im Schwimmbad.
Wir sind mit unseren Fahrrädern
dorthin gefahren.

☐ Um 17 Uhr sind wir dann
nach Hause gefahren.
Morgen gehen wir wieder
zusammen ins Schwimmbad.

☐ Danach sind wir dann
noch drei Bahnen geschwommen.
Da war Anna schneller als ich.

2 Nummeriere die Teile in der richtigen Reihenfolge.

3 Lies nun die ganze Geschichte.

7 Sechs Abschnitte einer Geschichte ordnen

1 Nummeriere die Teile der Geschichte in der richtigen Reihenfolge.

Drachen im Baum

☐ T — Erleichtert gingen beide nach Hause. In Zukunft werden sie besser auf ihre Drachen aufpassen.

1 H — Gestern war es draußen sehr windig. Florian und Tanja wollten ihre neuen Drachen steigen lassen.

☐ B — Auch Tanja wollte ihren Drachen herunterholen. Doch der Drachen verfing sich im Baum.

☐ R — Der Wind wurde immer stärker. Die beiden konnten ihre Drachen kaum noch halten. Florian holte seinen Drachen zurück.

☐ S — Tanja war traurig und weinte. Zum Glück kam der Nachbar und holte ihr den Drachen vom Baum.

☐ E — Sie gingen mit ihren Drachen auf die Wiese, auf der einige Bäume standen. Bald flogen beide Drachen am Himmel.

2 Schreibe das Lösungswort auf.

1	2	3	4	5	6
H					

7 Eine Entscheidungsgeschichte finden

1 Du kannst entscheiden, wie die Geschichte verläuft.
Wähle bei jedem Rahmen einen Pfeil und male ihn an.

Beim Angeln

Es war Sonntag. Tim wollte einen Ausflug machen.

Er ging mit seinem Vater zum Angeln an einen See.

Mit einem Freund ging er an einen Bach zum Angeln.

Tim angelte einen alten Schuh.

Tim angelte einen Fisch.

Er warf ihn wieder ins Wasser.

Er nahm ihn mit nach Hause.

Zu Hause erzählte Tim seiner Mutter von seinem Erlebnis.

2 Lies deine Geschichte einem Kind vor.

7 Eine Geschichte nach Stichwörtern untersuchen

1 Lies den Anfang der Geschichte.

Paul übernachtet bei Oli

Paul besucht Oli. Zuerst spielen sie im Kinderzimmer.
Dabei haben sie sehr viel Spaß.
Anschließend verkleiden sie sich als Piraten.
Zum Abendessen gibt es Würstchen mit Pommes und Ketchup.

2 Male alle Wörter an, die in 1 vorkommen.

Paul | Oli | spielen

Kinderzimmer | Spaß | verkleiden

Piraten | Abendessen | Würstchen

Pommes | Bett | Gruselgeschichten

3 Zwei Wörter hast du in 2 nicht angemalt.
Schreibe mit diesen beiden Wörtern einen Schlusssatz.

7 Wörter nach Themen ordnen

1 Ordne die Wörter den Themen **Fußball** und **Reiten** zu.

- Elfmeter
- Stall
- Mähne
- Tor
- Rote Karte
- Hindernis
- Sattel
- gewinnen
- zuspielen
- Pferd
- Zügel
- Mannschaft
- Reiter
- rennen

Fußball	Reiten
Elfmeter	

7 Zu einem Thema eine Geschichte schreiben

So schreibe ich eine Geschichte:

1. **Ich überlege**, zu welchem Thema ich eine Geschichte schreibe.

2. **Ich plane**, was ich schreiben möchte, und notiere Stichwörter.

3. **Ich schreibe** eine Geschichte und beachte dabei:
   - **Wer** kommt in der Geschichte vor?
   - **Wo** spielt die Geschichte?
   - **Was** passiert?
   - **Wie** endet die Geschichte?

4. **Ich lese** die Geschichte noch einmal und **korrigiere** sie.

5. **Ich finde** eine passende Überschrift für meine Geschichte.

Stichwörter helfen dir beim Planen einer Geschichte!

7 Eine Geschichte nach Stichwörtern zu Ende schreiben

1 Lies den Anfang der Geschichte.

Tinas fliegendes Bett

Gestern ging Tina ganz früh ins Bett. Sie war richtig sauer.
Den ganzen Tag hatte sie sich mit ihrer Schwester Betti gestritten.
Betti hatte Tinas Puppe die Haare abgeschnitten.
Am liebsten wäre Tina weit, weit weg.
Nun versuchte sie zu schlafen. Auf einmal …

2 Schreibe die Geschichte mit den Stichwörtern zu Ende.

hörte Knall	Bett hob ab	Tür öffnete sich	flog über die Stadt
Landung im Garten	tolles Erlebnis	leider nur geträumt	

Auf einmal hörte Tina einen

7 Eine Geschichte planen und schreiben

① Sieh dir die Bilder an.

② Kreuze das Bild an, zu dem du schreiben möchtest.

③ Notiere hier zuerst Stichwörter zu deinem Bild.

7

4 Schreibe eine Geschichte
mit deinen Stichwörtern von Seite 54.
Denke an eine Überschrift.

8 Eine Bastelanleitung schreiben

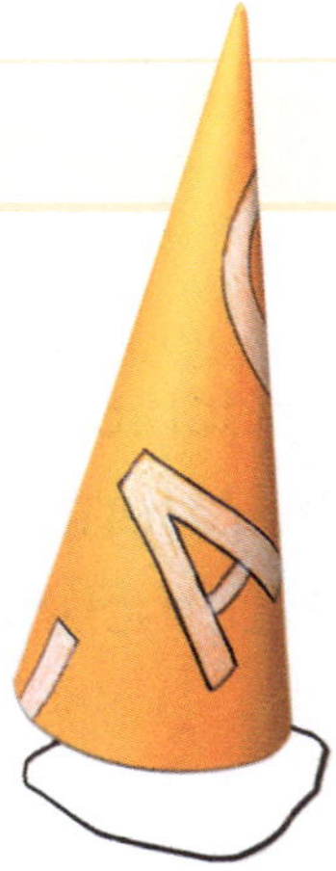

1 Sieh dir die Bilder an.
Lies die Stichwörter.

So bastelt man einen Lola-Hut

1

Zuerst Pappe bereitlegen ★
mit Stift Schablone nachzeichnen

2

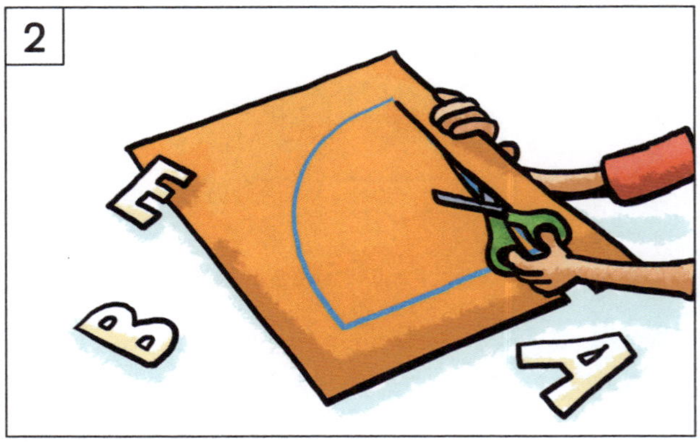

Danach ausschneiden ★
Pappe mit Buchstaben bekleben

3

Nun Pappe einrollen ★
Tüte formen ★ zusammenkleben

4

Zuletzt Rand an zwei Seiten
lochen ★ Gummiband befestigen

8

2 Schreibe die Anleitung von Seite 56 in ganzen Sätzen auf.

So bastelt man einen Lola-Hut

1. Zuerst muss man eine Pappe

8 Ein Rezept untersuchen

1 Lies das Rezept.

Türkisches Brot

Zuerst halbiere ich ein frisches Fladenbrot.

Danach schneide ich drei Tomaten in Scheiben.

Als Nächstes öffne ich ein Päckchen Schafskäse und schneide den Schafskäse in kleine Stückchen.

Nun belege ich das Fladenbrot mit den Tomatenscheiben und den Käsestückchen.

Anschließend schneide ich ein Bund Petersilie klein und streue die Petersilie über das Brot.

Zuletzt backe ich das Brot kurz im Ofen.

2 Unterstreiche die vier Zutaten.

3 Schreibe die Zutaten auf.

Zutaten:

– ein

–

8 Ein Rezept ordnen

1 Nummeriere die Teile des Rezepts **Rühre mit Speck.**

- [ ] den Speck in einer Pfanne braten
- [1] die Eier in eine Schüssel schlagen
- [ ] die Eiermilch mit einer Gabel verrühren
- [ ] Milch, Salz und Pfeffer dazugeben
- [ ] die Eiermilch mit dem Speck braten und rühren

Zutaten für 4 Kinder:
8 Eier,
1 Tasse Milch,
1 Packung Speck (Würfel),
Salz, Pfeffer

2 Schreibe das Rezept richtig auf. Verwende diese Satzanfänge.

~~Zuerst~~ | Als Nächstes | Danach | Nun | Zuletzt

Zuerst schlage ich

8 Ein Rezept schreiben

1 Lies die Zutaten und die Stichwörter für das Rezept.

So mache ich Obstspieße

- die Bananen schälen, das andere Obst waschen
- die Birne und den Apfel schälen
- die Bananen, den Apfel und die Birne in Stücke schneiden
- die Stücke abwechselnd auf Spieße stecken

Zutaten
2 Bananen,
8 Erdbeeren,
1 Apfel,
1 Birne,
8 Weintrauben,
8 Spieße

2 Schreibe das Rezept auf. Verwende diese Satzanfänge.

~~Zuerst~~	Danach	Nun	Zum Schluss

Zuerst schäle ich die Bananen, das andere Obst

8 Einen Tag beschreiben

1 Lies den Text aus einem Tagebuch.

Dienstag, den 13. 06. 2017

Um 7 Uhr bin ich aufgestanden. Zum Frühstück habe ich Müsli mit Nüssen gegessen. Am Vormittag haben wir in der Schule Experimente zum Thema Wasser gemacht. Zum Mittagessen gab es eine leckere Suppe. Am Nachmittag hatte ich Sport. Abends um 8 Uhr bin ich ins Bett gegangen.

2 Beschreibe einen Tag, den du erlebt hast.

Um ____ Uhr bin ich aufgestanden.

Zum Frühstück habe ich

Am Vormittag

8 Eine Schreibkonferenz durchführen

So bespreche ich Texte in einer Schreibkonferenz:

1. **Ich überlege**, mit wem ich meinen Text besprechen möchte.

2. **Ich lese** meinen Text anderen Kindern vor.

3. **Ich bespreche** mit den anderen Kindern:
   - Habt ihr alles verstanden?
   - Was findet ihr gut?
   - Sind meine Satzanfänge abwechslungsreich?
   - Was kann ich besser machen?

1 Besprich deinen Text von Seite 61 mit einigen Kindern.

8 Einen Wunschtag beschreiben

1 Beschreibe deinen Wunschtag.

Mein Wunschtag

Um Uhr

2 Besprich deinen Text mit einigen Kindern.

9 Eine Überschrift für Texte finden

1 Lies die Texte.

Die Klasse 2a machte kurz vor den Ferien eine Wanderung.
Sie liefen zu einem Spielplatz mit einer Grillstelle.
Die Kinder suchten Holz und zündeten mit der Lehrerin ein Feuer an.
Alle rösteten darüber Stockbrot. Es war ein toller Tag.

Die Klasse 2b wanderte zu einer Ruine.
Dort aßen sie ihre Brote und erkundeten das Gelände.
Als Tim auf eine alte Mauer kletterte, rutschte er ab
und fiel hin. Sein Arm tat weh und wurde dick.
Am nächsten Tag kam er mit einem Verband
in die Schule. Er hatte sich den Arm verstaucht.

2 Schreibe über jeden Text die passende Überschrift.

Unfall am Wandertag | Ein schöner Wandertag

9 Den Aufbau einer Geschichte kennenlernen

Wie fing es an?	Einleitung
Was ist passiert?	Hauptteil
Wie hörte es auf?	Schluss

1 Lies die Abschnitte.

1 Susi geht in die zweite Klasse.
Ihre Schule machte gestern einen Ausflug
zu einem Spielplatz. Um 8 Uhr ging es los.

2 Am Spielplatz machten die Kinder erst eine Pause.
Als Nächstes erkundeten sie alles. Susi fuhr mit der Seilbahn.
Tim, Leo und Jasmin spielten in der Ritterburg.
Dabei hatten sie viel Spaß.

3 Um zwölf Uhr packten die Kinder ihre Sachen zusammen
und gingen wieder zurück. Das war ein schöner Tag.

2 Notiere zu jedem Abschnitt aus **1** den richtigen Begriff:
Einleitung, Hauptteil, Schluss.

9 Einleitungen kennenlernen

1 Lies die Texte.

1 ◯ Und wenn sie nicht gestorben sind,
dann leben sie noch heute.

2 ◯ Rocafort ist ein ganz kleines Dorf in Spanien.
Dort gibt es nur drei Bauernhöfe.
Seit heute bewacht ein großer Hund
den mittleren Hof.

3 ◯ Es waren einmal vor langer Zeit ein Mädchen und ein Junge,
die in einer Hütte im Wald lebten. Ihre Eltern waren sehr arm,
sodass die Familie nicht genug zum Essen hatte.

4 ◯ Plötzlich hörte man einen lauten Knall.
Er drehte sich um und erschrak.

5 ◯ Nano war ein kleiner Eisbär.
Er wurde im letzten Winter
am Nordpol geboren,
in einer Welt voller Eis und Schnee.
Mit seiner Mutter lebte er
in einer tiefen, warmen Höhle.

2 Kreuze die drei Einleitungen an.

9 Einen passenden Schluss auswählen

1 Lies die Geschichte.

Lisa hat Geburtstag

Am Morgen rannte Lisa ins Wohnzimmer.
Dort blieb sie wie erstarrt stehen.
„Wo sind denn meine Geschenke?“,
rief sie. Papa saß einfach
am Tisch und aß sein Müsli.
Lisa setzte sich enttäuscht dazu.
Sie hatten ihren Geburtstag wirklich vergessen.
Doch auf einmal kamen Mama,
Oma und Tim herein.
Alle drei sangen ein Lied für Lisa.
Oma hielt eine Torte mit acht Kerzen in der Hand.

- ◯ Lisa pustete die Kerzen aus und dachte: „Na wartet, diesen Schreck werde ich euch heimzahlen!“
- ◯ Das war die beste Überraschung, die Lisa je erlebt hatte.
- ◯ Erleichtert rief Lisa: „Ich dachte schon, ihr hättet mich vergessen!“

2 Kreuze den Schluss an, der dir am besten gefällt.

3 Schreibe den Schluss ab, der dir am besten gefällt.

9 Satzanfänge verändern

1 Schreibe die Geschichte ab.
Verändere die Satzanfänge der blauen Sätze.

Allein zu Hause

Gestern war ich allein zu Hause.
Im Bett habe ich noch gelesen.
Dann schlief ich ein.
Dann weckte mich ein Geräusch.
Dann hörte ich Stimmen.
Dann ging das Licht an.
Meine Eltern waren wieder zu Hause.

Nun	Plötzlich	Außerdem	Schließlich

Gestern war ich allein zu Hause. ✓

Im Bett

Adjektive benutzen

1 Sieh dir das Bild an.

2 Setze die Adjektive in die Sätze ein.

Auf dem Jahrmarkt

| laute | süße | weiches | schnelle | hohen | gruselige |

Tim ist mit seinen Eltern auf dem Jahrmarkt.

Schon von Weitem hören sie die laute Musik.

Zuerst sehen sie in der Geisterbahn viele __________ Gestalten.

Anschließend kauft sich Tim __________ Zuckerwatte.

Als Nächstes haben sie sich das __________ Karussell vorgenommen.

Dann fahren sie mit der __________ Achterbahn.

Nun zieht Tim ein Los und gewinnt ein __________ Kuscheltier.

9 Fehlerwörter verbessern

1 Lies die Texte.
Schreibe die falsch geschriebenen
Wörter richtig auf.

3 Fehler

Die katze Mini streift mal wieder durch den Garten.
Sie ist auf der Suche nach Meusen.
heute fängt sie aber nur eine Fliege.

Katze,

7 Fehler

Tim und lisa gehen mit Imo spazieren.
Sie kommen an einer Wiese mit Apfelbeumen vorbei.
tim sammelt zwei Äpfel auf. In der Nähe ist
ein kleiner rastplatz. dort machen die beiden freunde
eine kurze Pause und verspeisen ihre Epfel.

2 Unterstreiche die verbesserten Stellen.

9 Einen Text gemeinsam überarbeiten

1 Lies den Text.
Besprich mit einigen Kindern, wie man den Text verbessern kann.

Um 3 Uhr kam tim in der Bücherei an.
Er suchte Bücher über Beume.
dann las er vir Zeitschriften.
Dann ging das licht aus.
Dann war es zehn Minuten lang dunkel.
Dann ging das Licht wieder an.

- Überschrift
- Einleitung
- Fehler
- Adjektive
- Schluss

2 Schreibe den Text verbessert auf.

Einsterns Schwester 2
leicht gemacht

Themenheft 3
Texte planen und schreiben

Herausgegeben von:	Roland Bauer, Jutta Maurach
Erarbeitet von:	Katrin Baudendistel, Daniela Dreier-Kuzuhara, Martina Schramm, Alexandra Schwaighofer
Fachliche Beratung exekutive Funktionen:	Dr. Sabine Kubesch, INSTITUT BILDUNG plus, im Auftrag des ZNL Transfer Zentrum für Neurowissenschaften und Lernen, Ulm
Redaktion:	Martina Schramm, Sabine Gerber
Illustration:	Yo Rühmer, Frankfurt am Main
Umschlaggestaltung:	Cornelia Gründer, agentur corngreen, Leipzig
Layout und technische Umsetzung:	lernsatz.de

fex

fex steht für *Förderung exekutiver Funktionen*. Hierbei werden neueste Erkenntnisse der kognitiven Neurowissenschaft zum spielerischen Training exekutiver Funktionen für die Praxis nutzbar gemacht. **fex** wurde vom **ZNL TransferZentrum für Neurowissenschaften und Lernen** *(www.znl-ulm.de)* an der Universität Ulm gemeinsam mit der **Wehrfritz GmbH** *(www.wehrfritz.com)* ins Leben gerufen. Der Cornelsen Verlag hat in Kooperation mit dem ZNL ein Konzept für die Förderung exekutiver Funktionen im Unterrichtswerk *Einsterns Schwester* entwickelt.

www.cornelsen.de

1. Auflage, 3. Druck 2019

Alle Drucke dieser Auflage sind inhaltlich unverändert
und können im Unterricht nebeneinander verwendet werden.

Druck: Parzeller print & media GmbH & Co. KG, Fulda

ISBN 978-3-06-084280-3

Dieses Heft ist Bestandteil des Pakets „Einsterns Schwester 2 leicht gemacht" (ISBN 978-3-06-084277-3) und kann auch einzeln bestellt werden.
Das Paket ist auch als E-Book erhältlich (ISBN 978-3-06-084297-1).

PEFC zertifiziert
Dieses Produkt stammt aus nachhaltig bewirtschafteten Wäldern und kontrollierten Quellen.
www.pefc.de

PEFC
PEFC/04-31-1308